Sami et Julie
cherchent les œufs

Emmanuelle Massonaud

hachette
ÉDUCATION

Avec Sami et Julie, lire est un plaisir !

Avant de lire l'histoire

- Parlez ensemble du titre et de l'illustration en couverture, afin de préparer la compréhension globale de l'histoire.
- Vous pouvez, dans un premier temps, lire l'histoire en entier à votre enfant, pour qu'ensuite il la lise seul.
- Si besoin, proposez les activités de préparation à la lecture aux pages 4 et 5. Elles permettront de déchiffrer les mots les plus difficiles.

Après avoir lu l'histoire

- Parlez ensemble de l'histoire en posant les questions de la page 30 : « As-tu bien compris l'histoire ? »
- Vous pouvez aussi parler ensemble de ses réactions, de son avis, en vous appuyant sur les questions de la page 31 : «Et toi, qu'en penses-tu ?»

Bonne lecture !

Couverture : Mélissa Chalot
Maquette intérieure : Mélissa Chalot
Mise en pages : Typo-Virgule
Illustrations : Thérèse Bonté
Édition : Laurence Lesbre
Relecture ortho-typo : Jean-Pierre Leblan

ISBN : 978-2-01-290401-9
© Hachette Livre 2017.

Achevé d'imprimer en Espagne par Unigraf
Dépôt légal : février 2019 - Collection n° 12 - Édition 06 - 68/4153/4

Les personnages de l'histoire

Pour préparer la lecture

1 Montre le dessin quand tu entends le son (eu) comme dans <u>œu</u>f.

2 Montre le dessin quand tu entends le son (é) comme dans pani<u>er</u>.

3 Lis ces syllabes.

ad	mi	mon	œu	eu	in

gne	cui	gni	que	com	ga

4 Lis ces mots-outils.

mon plutôt notre qui

plus tard partout chacun

5 Lis les mots de l'histoire.

un œuf   les cloches   un lapin

un poisson   des sucreries   du chocolat

– Admirez mon œuf !

Ou plutôt mon œuvre !

dit Julie.

– Tu veux dire « notre »

œuvre ! s'indigne Sami.

– Zut, cet œuf n'est

pas dur ! s'écrie Sami.

– Oups, j'ai dû oublier

de le cuire... dit Mamie.

– Hi, hi, hi : magnifique,

se moque Julie.

– Qui m'accompagne

à la gare chercher Emma ?

demande Maman.

– Moi ! Moi !

Une heure plus tard.

– Hourra, les cloches

sont passées ! s'écrie Sami.

– Regardez, il y a des œufs

en chocolat partout !

renchérit Julie.

– Je ne les vois pas…

se désole Emma.

– Voilà un panier

pour chacun de vous !

dit Papi.

– Bonne chasse,

mes petits chéris !

dit Mamie.

– Non, non, Tobi,

pas de sucreries

pour les toutous, dit Papa.

– Quel flair ! Merci

mon Tobi chéri !

s'écrie Sami.

– T'as pas le droit, Papi,

c'est de la triche !

s'énerve Julie.

– Les papis ont tous

les droits... répond Papi.

Surtout celui de dévorer

ce délicieux poisson !

– Cherche plus, Emma,

tu brûles !

– Bravo ! la félicite Mamie.

– Ne mange pas tout

tout de suite ! rit Sami.

21

– Julie ! Tu pourrais

nous en laisser ! râle Sami.

– Je vous laisse les lapins,

c'est plutôt super gentil !

répond Julie.

– Lapins ? Où ça

des lapins ? Je ne vois pas

de lapins ! Petits, petits...

venez par ici...

chuchote Sami.

– Ah, j'ai senti une goutte...

s'étonne Mamie.

24

– Tous à l'abri ! crie Sami.

– Tobi ! Rentre tout

de suite ! hurle Papa.

– Sacré giboulé !

di Papi. Heureusemen :

les œu et les friandise

sont à l'abri !

28

As-tu bien compris l'histoire ?

1 Qui casse son œuf en le décorant ?

2 Est-ce que tu sais ce qu'est une « œuvre » ?

3 Qui aide Sami à trouver les œufs ?

4 Qui mange du chocolat au lieu de chercher ?

5 Pourquoi sont-ils tous obligés de rentrer à la maison à la fin de l'histoire ?

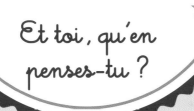

Et toi, qu'en penses-tu ?

Et toi,
où cherches-tu
les œufs à Pâques ?

Aimes-tu
le chocolat
ou préfères-tu
les bonbons ?

As-tu déjà décoré
de vrais œufs
avec de la peinture
comme Sami
et Julie ?

Sais-tu
ce que sont
les « giboulées » ?

Dans la même collection :

Niveau 1
Début de CP

Tobi est malade · Le tipi de Sami · Miam Miam ! · Super Sami ! · Le CP de Sami · Vive Noël ! · La nuit

La dispute · La liste de Sami · Bonne fête Papa ! · Sami s'est perdu · La malle de Papi · Sami à Paris · Sami est malade

Niveau 2
Milieu de CP

Sami sous la pluie · Sami a des poux · L'amoureux de Julie · Sami et Julie attendent Noël · L'anniversaire de Julie · Il neige ! · Sami à la ferme

Sami et Julie cherchent les œufs · Sami et Julie en classe de découverte · La galette des rois · Le zoo · La fête des mères

Niveau 3
Fin de CP

Le château · La dent de Julie · Les groseilles · Plouf ! · Le spectacle de Sami et Julie · Le mariage · Fous de Foot !

Niveau CE1

Sami rentre au CE1 · Sami et Julie fêtent Halloween · Le réveillon de Sami et Julie · Sami et Julie font des crêpes · Le match de foot de Sami et Julie · Vive les vacances ! · La nouvelle élève · Tom va avoir une petite...

Découvrez aussi les BD Sami et Julie **BD**

Tobi a disparu · Le vélo volé · Enquête au camping · Le voleur de crêpes

hache
ÉDUCATION